くだもの

平山和子さく　福音館書店

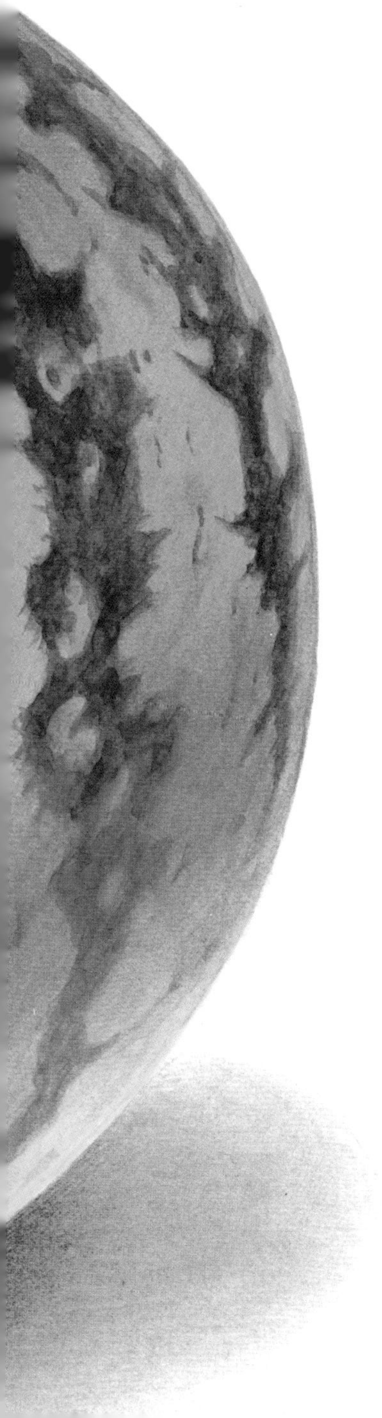

すいか

さあ　どうぞ。

もも

さあ　どうぞ。

ぶどう

さあ　どうぞ。

なし

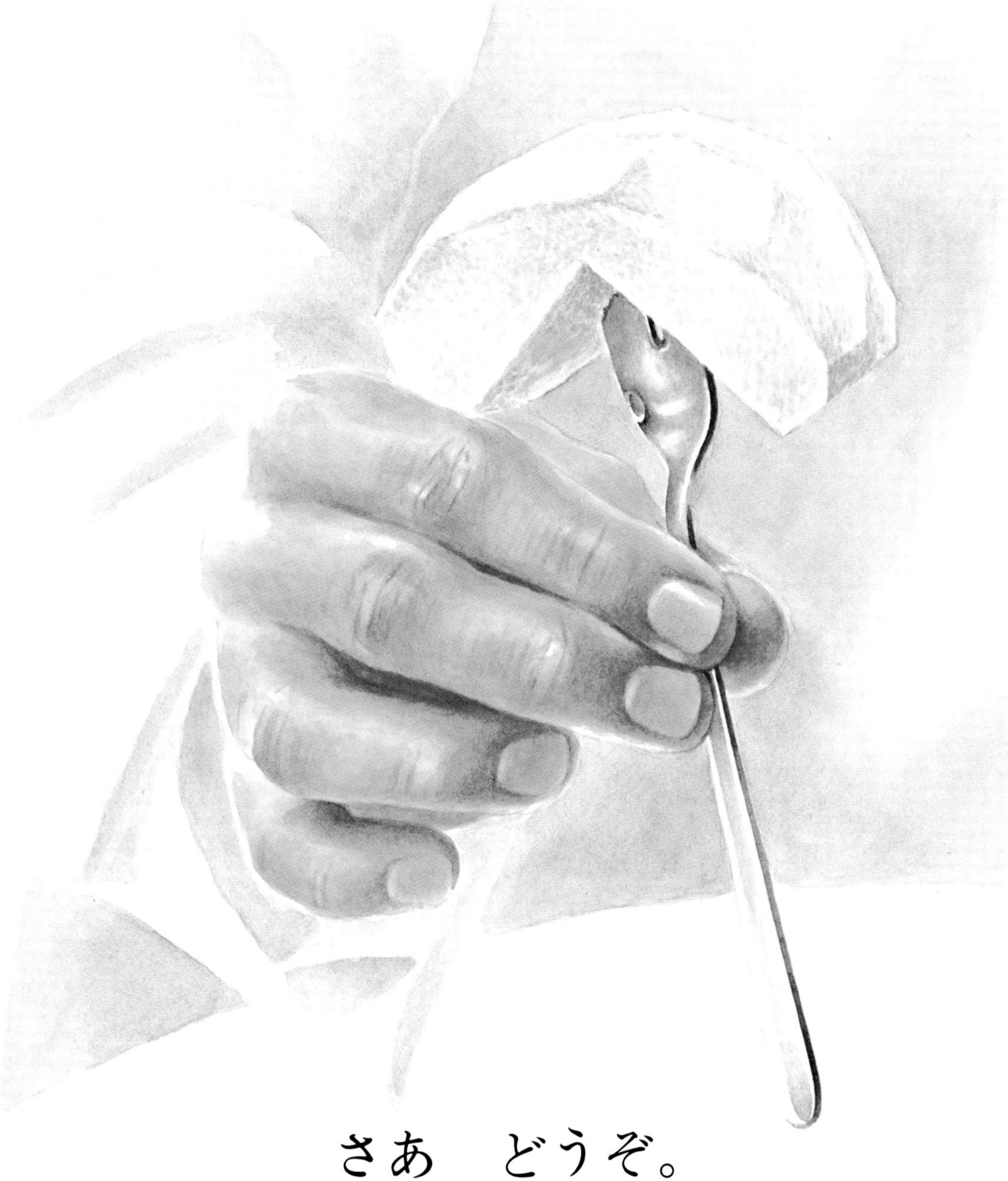

さあ　どうぞ。

りんご

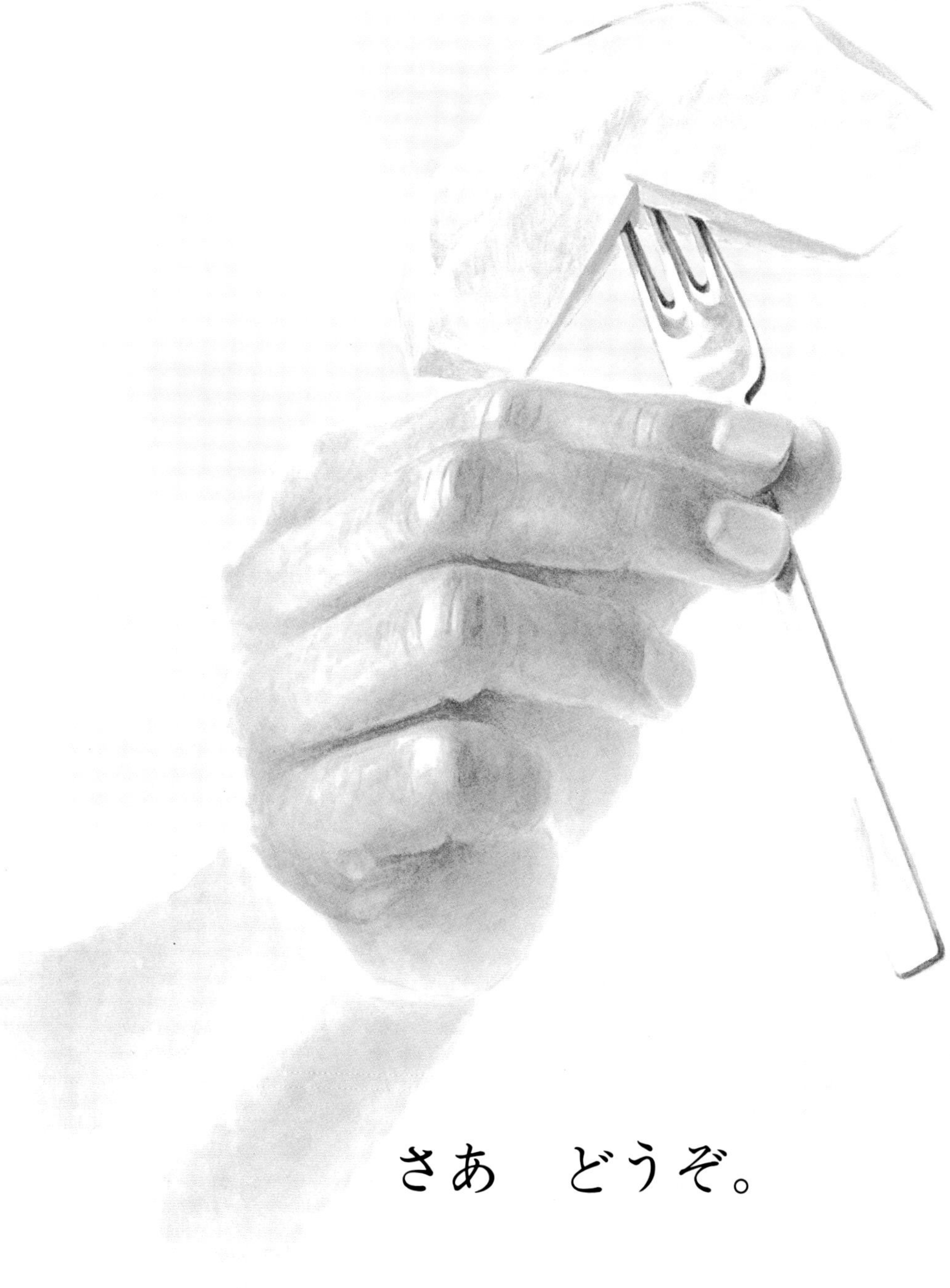

さあ　どうぞ。

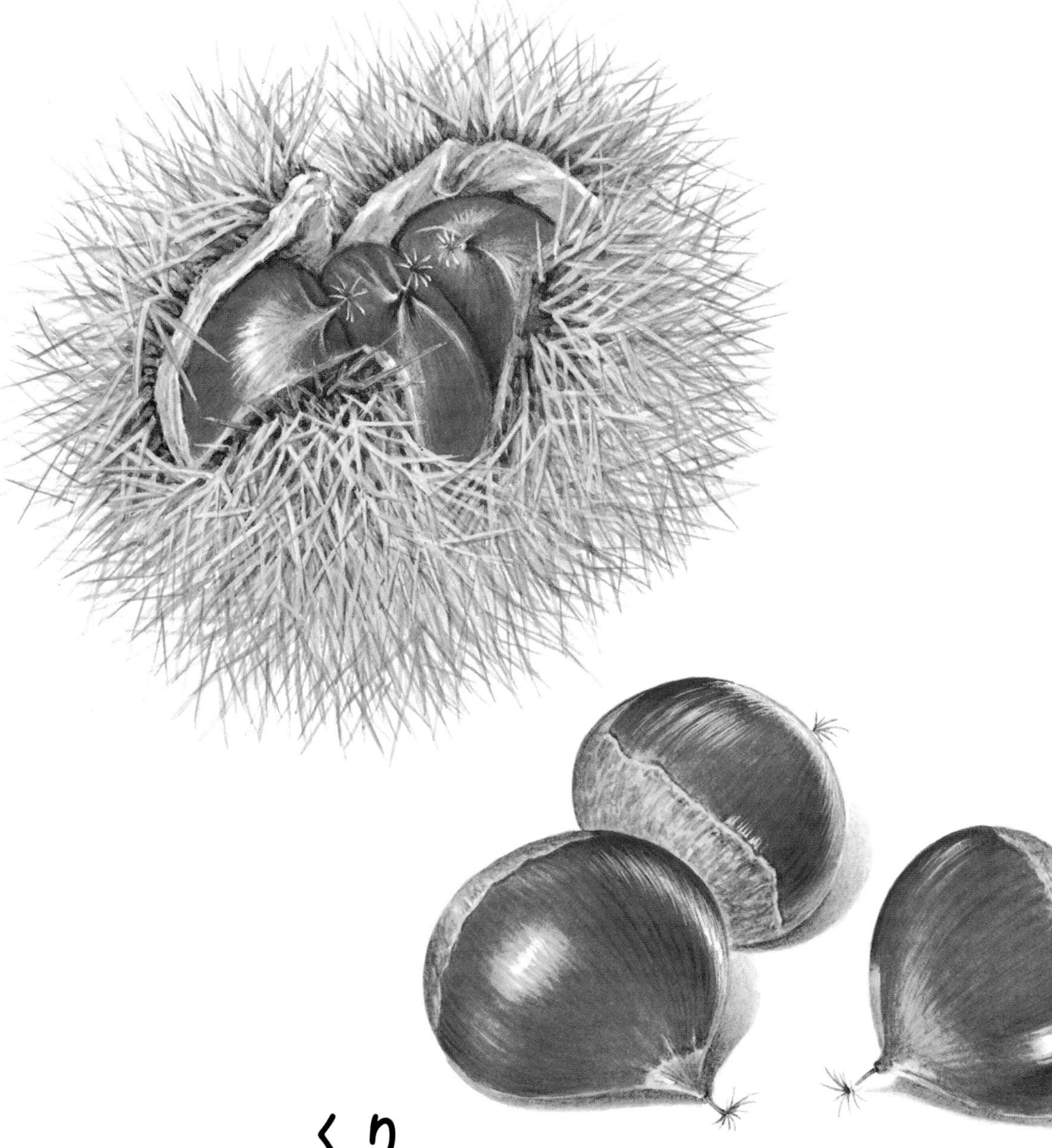

くり

さあ　どうぞ。

かき

さあ　どうぞ。

みかん

さあ　どうぞ。

いちご

さあ　どうぞ。

ばなな

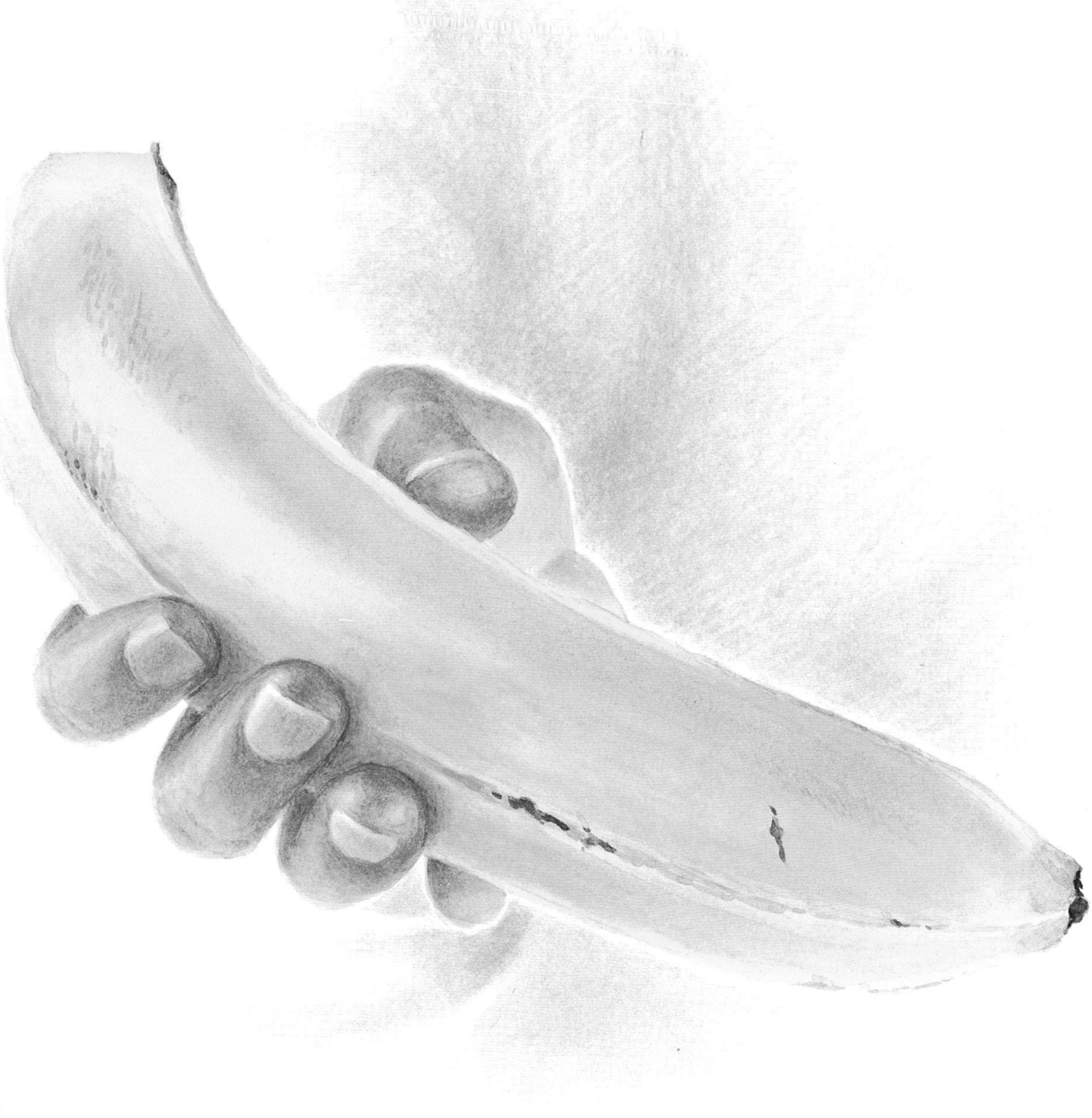

さあ　どうぞ。
ばななのかわ　むけるかな？

じょうずに　むけたね。